Die mens kan nie skep nie,
die mens kan nie eers herskep nie,
hy kan slegs bewaar.

Man cannot create,
man cannot even re-create,
he can only conserve.

ROCCO KNOBEL

SOOGDIERE VAN DIE KRUGERWILDTUIN EN ANDER NASIONALE PARKE

MAMMALS OF THE KRUGER AND OTHER NATIONAL PARKS

Saamgestel deur/Compiled by

Die Nasionale Parkeraad/The National Parks Board

Kunswerk/Artwork

H. Kumpf

Elfde Druk   1980   Eleventh Edition

'n Publikasie van die Raad van Kuratore vir Nasionale Parke van die Republiek van Suid-Afrika.

A Publication of the National Parks Board of Trustees of the Republic of South Africa.

Gedruk deur Beria Drukkery

ISBN 0 86953 027 5

VOORWOORD

„SOOGDIERE VAN DIE KRUGERWILDTUIN EN ANDER NASIONALE PARKE" was 'n opvolging van die Suid-Afrikaanse Dieregids en beleef nou sy elfde hersiene en verbeterde uitgawe. Die eerste sewe uitgawes het 'n oplaag van 260 000 gehad en is heeltemal uitverkoop. Dit is dus baie duidelik dat die boekie aan sy doel beantwoord naamlik om die leser meer van ons pragtige diere te laat weet, om te help om die een soort te kan onderskei van die ander en sodoende 'n besoek aan ons Nasionale Parke te veraangenaam.

Die opstellers het gepoog om ons diereryk aan ons lesers en besoekers voor te stel. Ek glo hulle het uitmuntend daarin geslaag. Uit die natuur kan ons elke dag leer en die kennis so opgedoen verryk ons gees en denke. Mag die boekie u help in die opsig.

Graag wil ek die Raad se opregte dank uitspreek teenoor die persone wat bygedra het tot die sukses van hierdie publikasie.

In besonder wil ek my dank uitspreek teenoor die kunstenaar, mnr. H. Kumpf, vir sy uitstekende werk, veral daar ek besef dat hy werklik sy bes probeer het om lewensgetroue beelde van die diere te gee. Sy bydrae word hoog waardeer.
Daar is gebruik gemaak van gegewens in die publikasies van A. Roberts, R. Meinertzhagen, S. S. Flower, J. H. Kenneth, R. Ward, F. Bourlière, J. Stevenson-Hamilton, Nasionale Parkeraad (S.A.), "Proceedings of the Zoological Society of London", Ellerman en andere.

Al die soogdiere in ons Nasionale Parke is nie in die gidsboekie uitgebeeld nie, maar wel die algemeenste soorte. Dit doen egter geen afbreuk aan die belangrikheid van veral die kleiner soorte wat nie in die uitgawe verskyn nie, maar wat ek hoop u met net soveel genot sal waarneem as dié wat meer dikwels gesien word en meer opvallend is.

A. M. BRYNARD
Hoofdirekteur

FOREWORD

"MAMMALS OF THE KRUGER AND OTHER NATIONAL PARKS" succeeded the "South African Animal Guide", and is now experiencing its eleventh revised and improved edition. The first seven editions had a circulation of 260 000 and are entirely sold out. It is, therefore, quite clear that the publication fulfils its purpose of assisting the reader to know more about our beautiful animals, of enabling him to distinguish one kind from another, and thus enabling him to derive greater pleasure from a visit to our National Parks.

The compilers have tried to introduce our fauna to our readers and visitors. I am convinced that they have succeeded excellently. We can learn from nature every day and the knowledge thus gained enriches our mind and thoughts; may this publication help you in this respect.

I wish to convey the Board's sincere appreciation to the persons who contributed towards the success of this publication.

In particular I would like to express my thanks to the artist, Mr H. Kumpf, for his excellent work, especially as I realise the great task involved in obtaining such true copies of the animals. His contribution is much appreciated.
Acknowledgement is made of information gleaned from "Proceedings of the Zoological Society of London", and from the publications of A. Roberts, R. Meinertzhagen, S. S. Flower, J. H. Kenneth, R. Ward, F. Bourlière, J. Stevenson-Hamilton, National Parks Board (S.A.), Ellerman and others.

Not all the mammals in our National Parks are illustrated in this guide book — only the more common species. This fact does not, however, detract from the importance of the smaller varieties which do not appear in this publication but which, I trust, you will observe with as much pleasure as those more noticeable and more frequently seen.

A.M. BRYNARD
Chief Director

INHOUDSOPGAWE

INDEX

Die Kalahari-gemsbok Nasionale Park is veral bekend vir sy trekwildsoorte soos elande, gemsbokke, rooihartbeeste, blouwildebeeste en springbokke. Aangesien hierdie diere vryelik tussen die Park en Botswana kan beweeg, vind hierdie jaarlikse migrasie wat voorafgegaan word met groot tropvormings, nog steeds plaas.

Oral langs die walle van die rivierlope van die Auob en Nossob kan troppe wild, soos hierdie gemsbokke, in die Kalahari-gemsbok Nasionale Park gesien word.

The Kalahari Gemsbok National Park is known for its migratory wildlife species. Animals such as the eland, gemsbok, red hartebeest, blue wildebeest and springbok move freely about the Park and Botswana, and hence, still annually migrate in large herds.

Along the banks of the Auob and Nossob riverbeds, wildlife herds, such as these gemsbok, can be seen in the Park.

Groot troppe wild is geen seldsame gesig in die Nasionale Krugerwildtuin nie. Vier of meer verskillende wildsoorte word dikwels in een trop gesien, veral by watergate Diere vergader om die suipplekke gewoonlik soggens tussen 10h00 en 11h00.

In die Nasionale Krugerwildtuin kom daar in totaal 124 verskillende soogdiere voor waarvan 37 soorte geklassifiseer word as groter soogdiere en 87 as kleiner soogdiere. Afgesien daarvan is daar reeds 442 verskillende voëlsoorte waargeneem asook 'n groot verskeidenheid reptiele, amfibië en boomsoorte.

Large herds of game are a frequent sight in the Kruger National Park. Herds often comprising four or more wildlife species usually gather at waterholes between 10h00 and 11h00.

A total of 124 mammal species are to be found in the Kruger National Park, of which 37 are classified as greater mammals and 87 as lesser mammals. In addition, 442 species of birds have been observed in the Park, as well as a large variety of reptiles, amfibians and tree types.

Krimpvarkie

(Erinaceus frontalis)

Hedgehog

Lengte

15–20 cm

Length

Waar gevind

Where found

Bergkwaggapark
Mountain Zebra Park

Gewoonlik 'n nagdiertjie wat gedurende die dag in gate of onder beskutting skuil. Teen die aand is hy uit om insekte, wurms, slakke, muise, akkedisse, slange, eiers en selfs sagte vrugte vir kos te soek. As hy aangeval word rol hy homself op in 'n stewige stekelrige bal.

Twee tot vier kleintjies word gedurende die somer gebore.

Normally a nocturnal animal which hides in holes or under cover during daylight. It is generally astir towards dusk to hunt for insects, worms, snails, mice, lizards, snakes, eggs and also soft fruit. When attacked it rolls itself up into a tight spiny ball.

Two to four young are born during summer.

Blouaap

(Cercopithecus aethiops)

Vervet Monkey

Massa	± 4 kg	Mass
Draagtyd	7 maande/months	Gestation period
Stertlengte	± 65 cm	Length of tail
Moontlike lewensdeur	24 jaar/years	Potential longevity

Waar gevind / Where found

Krugerwildtuin/Kruger Park
Addo-olifantpark/Addo Park
Bergkwaggapark/Mountain Zebra Park

Die diertjie het geen vaste paringseisoen nie. 'n Enkele kleintjie word gebore. Algemeen in bosagtige omgewings van die Krugerwildtuin en Addo-olifantpark.

This animal has no fixed mating season. A single young is born. Common in the bushy regions of the Kruger and the Addo Elephant Parks.

Bobbejaan   (*Papio ursinus*)   Chacma Baboon

Massa	± 20 kg	Mass
Hoogte	± 100 cm	Height
Stertlengte	± 50 cm	Length of tail
Moontlike lewensduur	45 jaar/years	Potential longevity
Draagtyd	6/7 maande/months	Gestation period
Waar gevind		Where found

Krugerwildtuin/Kruger Park
Bergkwaggapark/Mountain Zebra Park
Golden Gate Hooglandpark/Golden Gate Highlands Park

Dit kom algemeen in die Krugerwild-tuin voor, veral in die koppies om Pre-toriuskop en langs die rivieroewers. Die dier is volwasse op die ouderdom van 8 jaar. Ou mannetjies het soms 'n liggaams-massa van tot 40 kg. Daar is geen vaste paringseisoen nie. 'n Enkele kleintjie word gebore.

It is common in the Kruger Park particularly in the hills around Pre-toriuskop and along the rivers in the Park. At 8 years it is full-grown. Old males may have a body mass of up to 40 kg. It has no fixed mating season and a single young is born.

Ietermagog

(Manis temmincki)

Scaly Anteater

Lengte	100 cm	Length
Waar gevind		Where found

Krugerwildtuin/Kruger Park

Die liggaam, behalwe aan die onderkant, is met harde horingskubbe oortrek. Dit is 'n nagdier wat gate grawe om in te woon. Dit vreet hoofsaaklik miere deur die neste met goed ontwikkelde kloue oop te breek. As een aangeval word rol hy hom in 'n bal op. 'n Enkele kleintjie word op 'n keer gebore.

The body, except on the ventral side, is covered with hard, horny scales. It is mainly a nocturnal animal and lives in a burrow. It feeds on ants, breaking up the nests with its well-developed claws. When it is attacked it rolls itself into a tight ball. A single young is born.

Leeu   (*Panthera leo*)   Lion

Leeu	(*Panthera leo*)	Lion
Massa	± 200 kg	Mass
Hoogte	± 100 cm	Height
Loopsnelheid	4 km/h	Walking speed
Stormsnelheid	80 km/h	Charging speed
Moontlike lewensduur	20 jaar/years	Potential longevity
Draagtyd	3½ maande/months	Gestation period
Waar gevind		Where found

Krugerwildtuin/Kruger Park
Kalahari-gemsbokpark/Kalahari Gemsbok Park

Paring vind in die herfs of vroeë winter plaas en van 2 tot 5 kleintjies word in die lente gebore. Jong mannetjies waarvan die maanhare net uitkom en met die kenmerkende kolle van jong leeus nog sigbaar, word dikwels verkeerdelik vir 'n ander sub-spesies aangesien.

Mating takes place in autumn or early winter and 2 to 5 cubs are born in the spring. Young males, with incipient manes and the characteristic spots of young lions still visible, are often incorrectly regarded as a separate sub-species.

Luiperd

(Panthera pardus)

Leopard

Luiperd		Leopard
Massa	± 60 kg	Mass
Hoogte	± 60 cm	Height
Draagtyd	3 maande/months	Gestation period
Kleintjies	Gewoonlik 2 tot 3/Usually 2 to 3	Young
Moontlike lewensduur	21 jaar/years	Potential longevity
Waar gevind		Where found

Krugerwildtuin/Kruger Park
Kalahari-gemsbokpark/Kalahari Gemsbok Park

Dit is 'n nagdier en kom algemeen voor in die Krugerwildtuin en die Kalahari-gemsbokpark. Dit verskil van 'n jagluiperd deurdat hulle kolle onderbroke en rosetvormig is. Die liggaamsbou is kort, stewig en katagtig, die kop massief en die toonnaels kan heeltemal teruggetrek word.

It is a nocturnal animal common in the Kruger and the Kalahari Gemsbok Parks. It differs from a cheetah in that its spots are arranged in rosettes. The body is compactly built and cat-like, the head massive, and the claws fully retractile.

Jagluiperd   (*Acinonyx jubatus*)   Cheetah

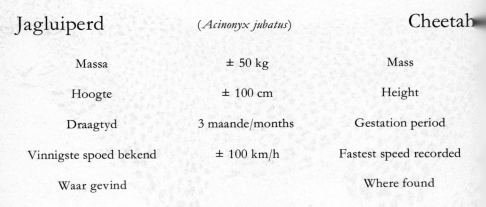

Massa	± 50 kg	Mass
Hoogte	± 100 cm	Height
Draagtyd	3 maande/months	Gestation period
Vinnigste spoed bekend	± 100 km/h	Fastest speed recorded
Waar gevind		Where found

Krugerwildtuin/Kruger Park
Kalahari-gemsbokpark/Kalahari Gemsbok Park

Die hoogste onderdom bereik is 15½ jaar. Van 2 tot 4 kleintjies word gebore. Verskil van die luiperd daarin dat die kolle ovaal en rond is. Die liggaam is slank en gebou vir spoed. Die kop is klein met 'n duidelike swart streep wat van elke oog tot in die mondhoeke strek. Die toonnaels kan net gedeeltelik teruggetrek word.

A cheetah has been known to reach the age of 15½ years. From 2 to 4 young are born. It differs from the leopard in that it is marked with oval and round spots. The body is slender and built for speed. The head is small with two conspicuous black lines running from the eyes to the corners of the mouth. The claws are semi-retractile.

Tierboskat   (*Felis serval*)   Serval

Hoogte	50 cm	Height
Lengte	±130 cm	Length
Kleintjies	± 3	Young
Waar gevind		Where found

Krugerwildtuin/Kruger Park

'n Langbenige kat met 'n klein koppie en groot ore, mooi geteken met kolle op 'n dof-bruin agtergrond. Op die rug verander die kolle in strepe. Die stert is kort. Dit vang hoofsaaklik klein soogdiertjies en voëls vir kos maar vreet ook dikwels insekte, o.a. kewers.

A long-legged cat with a small head and large ears, handsomely marked with dark spots on a tawny background. On the back the spots become elongated to form stripes. The tail is short. It feeds chiefly on small mammals and birds but also eats insects, especially beetles.

Rooikat

(Felis caracal)

Caracal

Massa	18 kg	Mass
Hoogte	45 cm	Height
Lengte	75 cm	Length
Waar gevind		Where found

Alle nasionale parke/All National Parks

Hierdie katsoort word in al die nasionale parke aangetref. Die kleur is geelrooi en die gepunte ore dra elk 'n klossie swart hare aan die punte. Vang voëls en klein soogdiertjies insluitende die kleiner antilope. Van 2 tot 3 kleintjies per werpsel.

This feline species is found in all the National Parks. It is of a yellowish-red colour and the pointed ears bear tufts of black hair at the ends. Preys on birds and small mammals including lesser antelope. Two to 3 young are born.

ΕΚΤΥΠΩΣΙΣ: ΑΛΕΞ. ΜΑΤΣΟΥΚΗΣ Α.Ε.

Ο θησαυρός των Αθηναίων. Τέλος 6ου αι. π.Χ.
The Treasury of the Athenians. End of the 6th cent. B.C.

443614

ΧΩΡΟΣ ΔΕΛΦΩΝ

ΧΔ

ΕΙΣΙΤΗΡΙΟ
ΑΡ:
DR. 150

Λευκή κύλικα με παράσταση Απόλλωνα. 470 π.Χ.
White kylix with a representation of Apollo. 470 B.C.

EKΤΥΠΩΣΙΣ: ΑΛΕΞ. ΜΑΤΣΟΥΚΗΣ Α.Ε.

3 6 6 1 2 2
ΜΟΥΣΕΙΟ ΔΕΛΦΩΝ

ΜΔ

ΕΙΣΙΤΗΡΙΟ
ΔΡ:
DR. 150

Maanhaarjakkals (*Proteles cristatus*) Aardwolf

Massa	± 10 kg	Mass
Hoogte	± 50 cm	Height
Waar gevind		Where found

Bergkwaggapark/Mountain Zebra Park
Addo-olifantpark/Addo Elephant Park
Kalahari-gemsbokpark/Kalahari Gemsbok Park
Krugerwildtuin/Kruger Park

Die dier leef hoofsaaklik van miere, maar vreet ook ander goggas, asook voëleiers en grondvoëltjies. Van 3 tot 5 kleintjies word gebore. Omdat dit lomp en stadig is word dit dikwels deur roofdiere gevang.

This animal feeds mostly on ants, but also catches other insects. Mice and ground birds are also included in the diet. It is partial to eggs of ground nesting birds. Due to its clumsy and slow movements it is often caught by predators.

Gevlekte Hiëna   *(Crocuta crocuta)*   Spotted Hyaena

Massa	± 60 kg	Mass
Hoogte	± 75 cm	Height
Loopsnelheid	15 km/h	Walking speed
Hardloopsnelheid	50 km/h	Running speed
Moontlike lewensduur	25 jaar/years	Potential longevity
Draagtyd	3 maande/months	Gestation period
Waar gevind		Where found

Krugerwildtuin/Kruger Park
Kalahari-gemsbokpark/Kalahari Gemsbok Park

Twee tot 3 kleintjies word op 'n keer gebore. Dit is die grootste soort onder die hiënas en hoewel 'n nagdier word dit dikwels gedurende die dag gesien. Dit is nie tweeslagtig soos so dikwels geglo word nie.

Usually 2 to 3 young are born. This is the largest type of hyaena and although a nocturnal animal it is commonly seen during the day. It is not hermaphroditic as is so commonly believed.

Strandwolf

(Hyaena brunnea)

Brown Hyaena

Massa	± 65 kg	Mass
Hoogte	70 cm	Height
Moontlike lewensduur	24 jaar/years	Potential longevity
Draagtyd	3 maande/months	Gestation period
Waar gevind		Where found

Krugerwildtuin/Kruger Park
Kalahari-gemsbokpark/Kalahari Gemsbok Park

Van 2 tot 4 kleintjies word gebore. Dit is 'n aasvretende nagdier en word dikwels deur leeus en gevlekte hiënas gedood as hulle te naby die prooi kom.

From 2 to 4 young are born. It is a nocturnal scavenger and is often killed by lions and spotted hyaenas at kills if it becomes too venturesome.

Draaijakkals   *(Otocyon megalotis)*   Bat-eared Fox

Massa	± 5 kg	Mass
Lengte	± 80 cm	Length
Hoogte	± 35 cm	Height
Draagtyd	2 maande/months	Gestation period

Waar gevind   Where found

Kalahari-gemsbokpark/Kalahari Gemsbok Park

Die jakkals is ook bekend as bakoor-jakkals. 'n Klein skadelose diertjie wat van goggas, muise en wilde vrugte leef. Gewoonlik word van 3 tot 5 kleintjies gebore. Dit hou van droë streke en kom in die Kalahari-gemsbokpark voor.

This fox is also known as Delalande's fox. A small harmless animal which feeds on insects, mice and wild fruit. Usually 3 to 5 young are born. It prefers drier areas and is found in the Kalahari Gemsbok Park.

Silwerjakkals   (*Vulpes chama*)   Cape Fox

Massa	± 4 kg	Mass
Hoogte	30 cm	Height
Draagtyd	7-8 weke/weeks	Gestation period
Waar gevind		Where found

Kalahari-gemsbokpark/Kalahari Gemsbok Park
Bergkwaggapark/Mountain Zebra Park
Addo-olifantpark/Addo Elephant Park

Dit is 'n nagdiertjie wat hoofsaaklik van goggas, muise, dassies, hase en grondvoëls leef, maar dit is ook 'n aasvreter. Van 3 tot 5 kleintjies word gebore.

It is a nocturnal animal. Feeds mainly on insects, mice, rock rabbits, hares and ground-roosting birds, but it is also a scavenger. Three to 5 young are born.

Rooijakkals   (*Canis mesomelas*)   Black-backed Jackal

Massa	± 7 kg	Mass
Hoogte	± 40 cm	Height
Hardloopsnelheid	55 km/h	Running speed
Moontlike lewensduur	10 jaar/years	Potential longevity
Draagtyd	2 maande/months	Gestation period
Waar gevind		Where found

Alle nasionale parke/All National Parks

Van 5 tot 7 kleintjies word gebore. Dit is 'n aasvreter wat ook klein soogdiertjies en voëls vang. Word gekenmerk deur 'n swart en wit ,,saal" op die rug.

From 5 to 7 young are born. It is a scavenger, but also preys on small mammals and birds. The black and white "saddle" on the back is a characteristic of this animal.

Witkwasjakkals   (*Canis adustus*)   Side-striped Jackal

Massa	± 9 kg	Mass
Hoogte	± 50 cm	Height

'n Sku en seldsame soort wat in die Krugerwildtuin aangetref word. Hulle leef van klein soogdiertjies, grondvoëls, eiers en goggas. Van 4 tot 6 kleintjies word na 'n draagtyd van nege weke gebore. Gekenmerk deur 'n duidelike wit streep op elke blad en die wit punt van die stert.

A timid and rare type found in the Kruger Park. Feeds on small mammals, ground-roosting birds, eggs and insects. From 4 to 6 young are born after a gestation period of nine weeks. Characterised by a definite white stripe on each flank and the white tip of the tail.

Wildehond   (*Lycaon pictus*)   Hunting Dog

Massa	± 25 kg	Mass
Hoogte	60–75 cm	Height
Draagtyd	2 maande/months	Gestation period
Moontlike lewensduur	10 jaar/years	Potential longevity
Waar gevind		Where found

Krugerwildtuin/Kruger Park
Kalahari-gemsbokpark/Kalahari Gemsbok Park

Van 2 tot 6 kleintjies word gewoonlik in die winter gebore. Dit jag gewoonlik in troppe. Die prooi word gejaag en in die hardloop verskeur.

From 2 to 6 young are born during the winter. It usually hunts in packs, and the prey is generally savaged while fleeing.

Stinkmuishond   (*Ictonyx striatus*)   Striped Polecat

Lengte	± 50 cm	Length
Draagtyd	6 weke/weeks	Gestation period
Moontlike lewensduur	14-15 jaar/years	Potential longevity
Waar gevind		Where found

Krugerwildtuin/Kruger Park
Kalahari-gemsbokpark/Kalahari Gemsbok Park

Die stinkmuishond is hoofsaaklik 'n nagdier. Twee tot 3 kleintjies word gebore. Bekend vanweë die onwelriekende vloeistof wat dit afskei om sy vyande mee af te weer.

The polecat is mainly nocturnal in habit. Two to 3 young are born. Well-known for the evil-smelling liquid ejected when attacked by an enemy.

Ratel

(Mellivora capensis)

Honey Badger

Hoogte	± 30 cm	Height
Lengte	± 95 cm	Length
Moontlike lewensduur	24 jaar/years	Potential longevity
Draagtyd	6 maande/months	Gestation period
Waar gevind		Where found

Krugerwildtuin/Kruger Park
Kalahari-gemsbokpark/Kalahari Gemsbok Park

Die ratel is sowel 'n dag- as 'n nagdier, maar omdat dit digbegroeide veld verkies word dit selde gesien.

The badger is diurnal and nocturnal in habit, but being small and not usually frequenting open country, it is rarely seen.

Groototter

(Aonyx capensis)

Clawless Otter

Massa	± 10 kg	Mass
Lengte	± 135 cm	Length
Moontlike lewensduur	16 jaar/years	Potential longevity
Draagtyd	9 weke/weeks	Gestation period
Waar gevind		Where found

Krugerwildtuin/Kruger Park

Twee tot 5 kleintjies word gebore. Word aangetref in die standhoudende strome en kuile van die Krugerwildtuin en lewe hoofsaaklik van krappe, vis, paddas, voëls en voëleiers.

Two to 5 young are born. Present in the perennial streams and pools of the Kruger Park. Feeds mainly on crabs, fish, frogs, birds and birds' eggs.

Siwetkat

(Viverra civetta)

Civet

Lengte	± 120 cm	Length
Massa	± 10 kg	Mass
Waar gevind		Where found

Krugerwildtuin/Kruger Park

'n Nagdier wat in die Krugerwildtuin voorkom. Die kop is klein met klein oortjies. Die kleur is geel-grys met swart kolle. Die bene is swart. Die stert is swart met kringe. Dit vang goggas, reptiele en klein soogdiertjies. Vreet graag aas en wilde vrugte. Van 2 tot 3 kleintjies word gebore.

A nocturnal animal found in the Kruger Park. The head is small with short ears. The basic colour is yellowish grey with black spots and the legs are black. The tail is black with white rings. Feeds on insects, reptiles and small mammals. Partial to carrion and wild fruit. From 2 to 3 young are born.

Kleinkolmuskejaatkat *(Genetta genetta)* Small-spotted Genet

Afrikaans	Value	English
Massa	± 2 kg	Mass
Hoogte	20 cm	Height
Lengte	95 cm	Length
Moontlike lewensduur	12-13 jaar/years	Potential longevity
Waar gevind		Where found

Krugerwildtuin/Kruger Park
Kalahari-gemsbokpark/Kalahari Gemsbok Park

Gewoonlik word 3 kleintjies gebore. Verskil van die rooikolmuskejaatkat slegs in kleur van kolle. Dit vang klein soogdiertjies en voëls en is veral lief om kuikens uit neste te verwyder. Vang ook soms paddas langs die waterkant.

Generally 3 young are born. Differs from the rusty-spotted genet in the colour of the spots only. Preys on small mammals and birds, and is particularly fond of chicks which it robs from nests. Also catches frogs at the water's edge.

Watermuishond   (*Atilax paludinosus*)   # Water Mongoose

Lengte	60 cm	Length

Waar gevind		Where found

Krugerwildtuin/Kruger Park
Bontebokpark/Bontebok Park

Leef tussen die riete en plante langs riviere en damme. Gewoonlik donkerbruin van kleur. Vlug die water in as dit agtervolg word. Dit vang vis, paddas, krappe, insekte, slange, voëls en vreet graag eiers. Twee kleintjies word op 'n keer gebore.

Frequents reeds and other vegetation margining rivers and dams. Usually dark brown in colour. Takes readily to water when pursued. Feeds on fish, frogs, crabs, insects, snakes and birds, and is partial to birds' eggs. Two young are born at a time.

Dwergmuishond   (*Helogale parvula*)   Dwarf Mongoose

Lengte	± 40 cm	Length

| Waar gevind | | Where found |

Krugerwildtuin/Kruger Park

'n Klein donkergekleurde diertjie wat gewoonlik in tonnels en gate in mierneste of boomstompe woon. Dit vreet insekte, reptiele en klein soogdiertjies. Word gewoonlik in groepe aangetref.

A small dark-coloured animal which finds its home in old tunnels and holes in antheaps and tree trunks. Feeds on insects, reptiles and small mammals. Generally found in groups.

Gebande Muishond (*Mungos mungo*) Banded Mongoose

Lengte	65 cm	Length
Moontlike lewensduur	12-13 jaar/years	Potential longevity
Waar gevind		Where found

Krugerwildtuin/Kruger Park

Vreet goggas, akkedisse, voëls en klein soogdiertjies. Duidelike strepe wat dwars oor die liggaam strek is kenmerkend. Jag dikwels saam met bobbejane op soek na insekte en word in groot kolonies van tot 75 aangetref, veral in klipperige omgewings.

Preys on insects, lizards, birds and small mammals. Characterised by definite stripes across the body. Often found hunting for insects in the company of baboon. It is gregarious and moves about in large colonies of up to 75 in number, generally in stony areas.

Rooimeerkat *(Cynictis penicillata)* Yellow Mongoose

Lengte	± 65 cm	Length
Moontlike lewensduur	12-13 jaar/years	Potential longevity
Waar gevind		Where found

Kalahari-gemsbokpark/Kalahari Gemsbok Park
Bergkwaggapark/Mountain Zebra Park

Vang goggas, muise, voëls en vreet graag eiers. Gewoonlik word 2 kleintjies gebore.

Preys on insects, mice and birds and is fond of eggs. Generally 2 young are born.

Graatjiemeerkat   (*Suricata suricatta*)   Suricate

Lengte	± 55 cm	Length
Draagtyd	3 weke/weeks	Gestation period
Moontlike lewensduur	12-13 jaar/years	Potential longevity

Kom in die Kalahari-gemsbok- en Berg-kwaggaparke voor. Dit woon in gate en word dikwels in groepies van 6 en meer aangetref. Twee tot 3 kleintjies word gebore. Vreet hoofsaaklik insekte.

Found in the Kalahari Gemsbok and Mountain Zebra Parks. It inhabits burrows and is commonly found in groups of 6 or more. Two to 3 young are born at a time. Feeds mainly on insects.

Erdvark

(Orycteropus afer)

Antbea

Lengte   ± 170 cm   Length

'n Nagdier wat gate grawe, van rysmiere lewe en in die Krugerwildtuin, Addo-olifantpark en Kalahari-gemsbokpark aangetref word. Ouderdom in een spesifieke geval was $9\frac{1}{2}$ jaar. 'n Enkele kleintjie word op 'n keer gebore.

A nocturnal animal which feeds o termites. It is noted for its burrowin powers, and is found in the Kruge Addo Elephant and Kalahari Gemsbo Parks. Specific duration of life in on case was $9\frac{1}{2}$ years. A single young i born at a time.

Olifant

(Loxodonta africana)

African Elephan

Snelheid		Speed
Storm	40 km/h	Charging
Loop	10 km/h	Walking
Hoogte	300–340 cm	Height
Massa	6000–7000 kg	Mass

Ongeveer tweemaal die omtrek van die voorpoot gee die hoogte by benadering.

Na 'n draagtyd van 22 maande word een kalfie gebore wat aan sy moeder drink met sy bek maar water suip met sy slurp. Die spene is tussen die voorbene geleë. Puberteit begin op ongeveer die dertiende jaar en die moontlike lewensduur is tussen 65 en 70 jaar. Hulle is veral volop in die noordelike deel van die Krugerwildtuin.

In die Addo-Olifantpark is daar reeds meer as 50 olifante. Hierdie olifante is ietwat kleiner, het swakontwikkelde of geen tande nie, hulle ore vertoon ovaler as dié van ander en hulle vreet hoofsaaklik spekboom.

About twice the circumference of fron foot gives the approximate height.

After a gestation period of 22 months a single calf is born. When suckled the mouth is used, but water is sucked up in the trunk and squirted into the mouth. Two mammae are situated between the fore-legs. Puberty starts at approximately 13 years of age, and the potential span of life is 65 to 70 years Particularly abundant in the northern section of the Kruger Park.

In the Addo Elephant Park there are already more than 50 elephants. The Addo elephant is slightly smaller, tusks are absent or poorly developed, ears appear to be more oval, and it feeds mainly on spekboom.

Dassie

(Procavia capensis)

Rock Rabbit

Massa	3–4 kg	Mass
Lengte	± 45 cm	Length
Moontlike lewensduur	7 jaar/years	Potential longevity
Waar gevind		Where found

Krugerwildtuin/Kruger Park
Bergkwaggapark/Mountain Zebra Park
Golden Gate Hooglandpark/Golden Gate Highlands Park

Verkies om in klipskeure en rotse skuiling te vind. Is 'n plantvretende dier. Twee tot 3 kleintjies word na 'n draagtyd van 7½ maande gebore.

Prefers to live in rock fissures and among boulders. The rock rabbit is an herbivorous animal. Two to 3 young are born after a gestation period of 7½ months.

Swartrenoster   (*Diceros bicornis*)   Black Rhinoceros

Swartrenoster		Black Rhinoceros
Massa	1000–2000 kg	Mass
Hoogte	± 160 cm	Height
Snelheid	45 km/h	Speed
Rekordhoringlengte:		Record length of horns:
Voorste horing	135 cm	Front horn
Tweede Horing	46 cm	Rear Horn
Moontlike lewensduur	45 jaar/years	Potential longevity
Waar gevind		Where found

Addopark/Addo Park

Die swartrenoster het 'n gepunte bolip wat oor die onderlip strek. Dit is donker-grys van kleur. Dit het uit die Krugerwildtuin verdwyn en in die Addo-gebied uitgesterf, maar is weer in die Addo-olifantpark ingevoer. 'n Enkele kalfie word na 'n draagtyd van 18 maande gebore.

The black rhinoceros is characterised by an elongated upper lip overlapping the lower. It is dark grey in colour. Extinct in Kruger and Addo Parks, but has been reintroduced into the Addo Elephant Park. A single calf is born after a gestation period of 18 months.

Witrenoster

White (Square-lipped) Rhinoceros

(Ceratotherium simum)

Massa	3500 kg	Mass
Hoogte	160 cm	Height
Snelheid	45 km/h	Speed
Rekordlengte van horings:		Record length of horns
Voorste horing	158 cm	Front horn
Tweede horing	56 cm	Rear horn
Moontlike lewensduur	45 jaar/years	Potential longevity

Die witrenoster word gekenmerk deur sy plat, breë bolip en nie sodanig deur sy ligte kleur nie. Dit het uit die Kruger-wildtuin verdwyn, maar is weer ingevoer. Na 'n draagtyd van 18 maande word 'n enkele kalfie gebore.

The white rhinoceros is characterised chiefly by its broad, square upper lip, and not essentially by its lighter colour. Has disappeared from the Kruger Park, but has been reintroduced. A single calf is born after a gestation period of 18 months.

76

Bergkwagga (*Equus zebra*) Mountain Zebra

Hoogte	± 120 cm	Height
Snelheid	65 km/h	Speed
Moontlike lewensduur	35 jaar/years	Potential longevity
Draagtyd	12 maande/months	Gestation period

Kom voor in die Bergkwaggapark en in die bergreekse van die suid-oostelike Kaapland. Anders as by die bontkwagga is daar 'n duidelike keelvel aanwesig. Daar is ook geen skaduweestrepe nie en die strepe reik ook nie om die pens nie. Die strepe op die bene is duidelik tot op die hoewe, en hulle strek reg om die bene. 'n Enkele vulletjie word gebore.

Found in the Mountain Zebra Park and the mountain ranges of the south-eastern Cape. Differs from the Burchell's zebra in that a definite dewlap is present. There are also no shadow stripes and the stripes do not meet on the underside of the body. The stripes on the legs extend clearly down to the hooves and encircle the legs. A single foal is born.

Bontkwagga

(Equus burchelli)

Burchell's Zebra

Massa	300–400 kg	Mass
Hoogte	± 130 cm	Height
Draagtyd	12 maande/months	Gestation period
Moontlike lewensduur	35 jaar/years	Potential longevity
Waar gevind		Where found

Krugerwildtuin/Kruger Park

Op die bontkwagga strek die strepe tot om die pens en daar is duidelike skaduwee-strepe tussenin. Anders as by die bergkwagga is die strepe op die bene alleen op die buitekant en van die knieë af ondertoe is hulle onduidelik. 'n Enkele vulletjie word gebore.

On this zebra the stripes reach right round the body and definite shadow stripes are present. Unlike the Mountain zebra the stripes on the legs occur on the outside only and from the knees down these are indistinct. A single foal is born.

Seekoei   (*Hippopotamus amphibius*)   Hippopotamus

Massa	2000–3000 kg	Mass
Hoogte	± 150 cm	Height
Lengte	350–450 cm	Length
Moontlike lewensduur	41 jaar/years	Potential longevity
Rekordlengte van oogtand	122 cm	Record length of canine
Rekordlengte van snytand	58 cm	Record length of incisor

Hierdie waterbewonende soogdier hou in al die vernaamste riviere van die Nasionale Krugerwildtuin. 'n Enkele kleintjie word onder water gebore na 'n draagtyd van 7 tot 8 maande. Mis word met die stert oopgesprei.

This water-frequenting mammal is found in all the large rivers of the Kruger National Park. A single young is born, under water, after a gestation period of 7 to 8 months. Dung is spread out with the tail.

Vlakvark

(Phacochoerus aethiopicus)

Warthog

Massa	70–100 kg	Mass
Hoogte	± 75 cm	Height
Snelheid	30–50 km/h	Speed
Moontlike lewensduur	20 jaar/years	Potential longevity

Rekordlengte van die boonste slagtande is 61 cm. Tot ses kleintjies word in November-Desember gebore na 'n draagtyd van drie maande. Kenmerkend is die vratagtige uitgroeisels aan die kop en die penorente stert as hy weghardloop. Kom voor in die Krugerwildtuin.

The record length of an upper tusk is 61 cm. A litter of up to 6 is born during November and December after a gestation period of 3 months. Characteristics are the wartlike excrescences on the head and the habit of holding its tail stiffly erect when running. Found in the Kruger Park.

Bosvark

(Potamochoerus porcus)

Bushpig

Massa	55–75 kg	Mass
Hoogte	± 80 cm	Height
Moontlike lewensduur	20 jaar/years	Potential longevity
Waar gevind		Where found

Krugerwildtuin/Kruger Park
Addo-olifantpark/Addo Elephant Park

Die onderste slagtande se rekordlengte is 18 cm. Gewoonlik word van 6 tot 8 kleintjies op 'n keer gebore. 'n Nagdier met kenmerkende snoet. Is skaars en word selde in die Krugerwildtuin gesien, maar is volop in die Addo-olifantpark.

The record length of the lower tusk is 18 cm. Usually 6 to 8 young are born at a time. A nocturnal animal with characteristic snout. Rare, and seldom seen in the Kruger Park, but common in the Addo Elephant Park.

Kameelperd   *(Giraffa camelopardalis)*   Giraffe

Massa	± 1500 kg	Mass
Hoogte	± 550 cm	Height
Snelheid	50 km/h	Speed
Moontlike lewensduur	28 jaar/years	Potential longevity

Na 'n draagtyd van 14 tot 15 maande word 'n enkele kalfie gebore met 'n liggaamsmassa van tussen 40 en 60 kg en 180 cm hoog, gewoonlik vanaf Oktober tot Januarie. Dit verkies taamlike oop bosveld en is besonder volop suid van die Olifantsrivier in die Krugerwildtuin.

After a gestation period of 14 to 15 months, a single calf with a body mass between 40 and 60 kg and standing 180 cm high, is born during the period October to January. It prefers fairly open bushveld, and is particularly abundant south of the Olifants River in the Kruger Park.

Rooiduiker

(Cephalophus natalensis)

Natal Duiker

Massa	± 12 kg	Mass
Hoogte	± 45 cm	Height
Moontlike lewensduur	9 jaar/years	Potential longevity
Rekordhoringlengte	11 cm	Record length of horns

Dit is rooibruin van kleur met ligter onderlyf. In die Krugerwildtuin word hulle gewoonlik aangetref in bosryke streke naby water in die omgewing van Numbi. Gewoonlik word 'n enkele lammetjie enige tyd van die jaar gebore.

It is of a reddish-brown colour with the lower part of the body a lighter colour. In the Kruger Park it inhabits dense bush near water in the Numbi area. Usually a single lamb is born during any time of the year.

Blouduiker/Bloubokkie

(Cephalophus monticola)

Blue Duiker

Hoogte	± 35 cm	Height
Moontlike lewensduur	9 jaar/years	Potential longevity
Rekordhoringlengte	10 cm	Record length of horns

Die kleinste van ons antiloopsoorte. Dit is tuis in die digte woude van suidoos-Kaap, maar word ook in verskillende Provinsiale Natuurreservate van Natal aangetref. Gewoonlik word 'n enkele lammetjie in September of Oktober gebore.

The smallest of our antelopes. It inhabits the forest regions of southeastern Cape but is also present in various Provincial Nature Reserves in Natal. Usually a single lamb is born in September or October.

Duiker

(Sylvicapra grimmia)

Grey Duiker

Massa	± 12 kg	Mass
Hoogte	± 50 cm	Height
Moontlike lewensduur	9 jaar/years	Potential longevity
Rekordhoringlengte	18 cm	Record length of horns

Word aangetref in die Krugerwildtuin, Addo-olifantpark, Kalahari-gemsbok-park en Bergkwaggapark. Die draagtyd is 4 maande en gewoonlik word 'n enkele lammetjie gebore.

Present in the Kruger, Addo Elephant, Kalahari Gemsbok and Mountain Zebra National Parks. The gestation period is 4 months and usually a single lamb is born.

Steenbok

(Raphicerus campestris)

Steenbok

Massa	± 12 kg	Mass
Hoogte	± 50 cm	Height
Rekordhoringlengte	18 cm	Record length of horns

Kom in al die nasionale parke voor. Gewoonlik word 'n enkele lammetjie na 'n draagtyd van ongeveer 7 maande gebore.

Occurs in all the National Parks. Usually a single lamb is born after a gestation period of approximately 7 months.

Kaapse Grysbok (*Raphicerus melanotis*) Cape Grysbok

Massa	± 12 kg	Mass
Hoogte	± 55 cm	Height
Rekordhoringlengte	12 cm	Record length of horns

Kom in die Addo-olifant- en Bontebok-parke voor. 'n Enkele lammetjie word gebore, gewoonlik in die lente.

Found in the Addo Elephant and Bontebok National Parks. A single lamb is born, usually in spring.

Tropiese Grysbok   (*Raphicerus sharpei*)   Sharp's Grysbok

Massa	± 12 kg	Mass
Hoogte	± 40 cm	Height
Rekordhoringlengte	5 cm	Record length of horns

Word aangetref in die mopanieveld van veral die noordelike gedeelte van die Nasionale Krugerwildtuin. 'n Enkele lammetjie word op 'n keer gebore. Dit wei hoofsaaklik snags, is baie skugter en word selde gesien.

This animal is found in the mopane veld of the northern part of the Kruger National Park. A single lamb is born. Generally feeds during the night and is very timid and for this reason seldom seen.

Oorbietjie

(Ourebia ourebi)

Orib

Massa	± 20 kg	Mass
Hoogte	± 65 cm	Height
Moontlike lewensduur	$13\frac{1}{2}$ jaar/years	Potential longevity
Rekordhoringlengte	19 cm	Record length of horns

Word aangetref in die Addo-olifantpark, Krugerwildtuin en in verskillende Provinsiale Natuurreservate. Die draagtyd is min of meer 7 maande en 'n enkele lammetjie word gebore.

Present in the Addo Elephant Park, Kruger Park and in various Provincial Nature Reserves. The gestation period is approximately 7 months and a single lamb is born.

Soenie

(Nesotragus moschatus)

Sun

Massa	± 3 kg	Mass
Hoogte	± 40 cm	Height
Rekordhoringlengte	9 cm	Record length of horns

Word aangetref in 'n beperkte omgewing in die noorde van die Nasionale Krugerwildtuin en Provinsiale Natuurreservate van Natal. 'n Enkele lammetjie word op 'n keer gebore.

Occurs in a limited area in the north of the Kruger National Park and Provincial Nature Reserves of Natal. A single lamb is born.

Klipspringer

(Oreotragus oreotragus)

Klipspringer

Massa	± 16 kg	Mass
Hoogte	± 60 cm	Height
Rekordhoringlengte	16 cm	Record length of horns

Word aangetref op klipkoppies en bergagtige gedeeltes van die Nasionale Krugerwildtuin en Bergkwaggapark. Die draagtyd is ongeveer 7 maande, waarna 'n enkele lammetjie gebore word.

Occurs in the hilly and mountainous areas of the Kruger National Park and Mountain Zebra Park. The gestation period is approximately 7 months and a single lamb is born.

Vaalribbok

(*Pelea capreolus*)

Grey Rhebok

Massa	± 22 kg	Mass
Hoogte	± 75 cm	Height
Rekordhoringlengte	29 cm	Record length of horns

Word aangetref in die Addo-olifantpark en Bontebokpark asook in verskillende natuurreservate. Dit vlug met kenmerkende skommelperd-bewegings en die wit onderkant van die stert word gewys. 'n Enkele lammetjie word in November of Desember gebore.

It is found in the Bontebok and Addo Elephant Parks, as well as in various Provincial Nature Reserves. When fleeing it has a rocking-horse action, and shows the white underside of the tail. A single young is born in November or December.

Rooiribbok

(Redunca fulvorufula)

Mountain Reedbuck

Massa	± 25 kg	Mass
Hoogte	± 75 cm	Height
Moontlike lewensduur	8 jaar/years	Potential longevity
Rekordhoringlengte	23 cm	Record length of horns

In die Nasionale Krugerwildtuin word dit veral in die heuwels noord-wes van Malelane aangetref. Die bok kom ook voor in die Addo-olifantpark, die Bergkwaggapark en die Golden Gate Hooglandpark. 'n Enkele lammetjie word op 'n keer gebore.

In the Kruger National Park it is chiefly observed in the hills north-west of Malelane. This buck is also found in the Mountain Zebra, the Addo Elephant and the Golden Gate Highlands National Parks. A single lamb is born.

Rietbok

(Redunca arundinum)

Reedbuck

Massa	± 70 kg	Mass
Hoogte	± 90 cm	Height
Moontlike lewensduur	9 jaar/years	Potential longevity
Draagtyd	$7\frac{1}{2}$-8 maande/months	Gestation Period
Rekordhoringlengte	46 cm	Record length of horns
Waar gevind		Where found

Krugerwildtuin/Kruger Park

Kom voor in digbegroeide rietkolle en grasvleie naby riviere van die Kruger-wildtuin. As die rietbok skrik, uiter dit 'n skerp fluitgeluid en hardloop weg met 'n kenmerkende skommelperd-beweging terwyl die wit onderkant van die stertkwas wys. 'n Enkele lammetjie word gewoonlik gedurende Augustus of September gebore.

The reedbuck frequents thickly-grown patches of reed and vleis near the rivers of the Kruger Park. It utters a sharp whistle when alarmed, and when fleeing has a rolling rocking-horse gait thus showing the white underside of the tail. A single lamb is born, usually in August or September.

Waterbok (*Kobus ellipsiprymnus*) # Waterbuck

Massa	± 250 kg	Mass
Hoogte	± 130 cm	Height
Draagtyd	8 maande/months	Gestation period
Moontlike lewensduur	10-12 jaar/years	Potential longevity
Rekordhoringlengte	99 cm	Record length of horns

Die waterbok is betreklik volop in die Nasionale Krugerwildtuin. 'n Enkele kalf word gebore, gewoonlik in Januarie of Februarie. Die wit kring om die stert is 'n opvallende kenmerk. Word veral naby water aangetref.

The waterbuck is comparatively abundant in the Kruger National Park. A single calf is born, usually in January or February. The white circle around the tail is a conspicuous characteristic. It is especially abundant near water.

Rooibok

(Aepyceros melampus)

Impal

Massa	± 65 kg	Mass
Hoogte	± 90 cm	Height
Draagtyd	6 maande/months	Gestation period
Rekordhoringlengte	70 cm	Record length of horns

Die rooibok is die mees algemene boksoort in die Nasionale Krugerwildtuin en word veral suid van die Sabierivier in groot troppe aangetref. Dit kan tot 10 m ver en 3 m hoog spring. Die paringseisoen is April tot Mei en een lammetjie word gewoonlik in November of Desember gebore. 'n Ouderdom van 9 jaar is in een spesifieke geval aangeteken.

The impala is the most commc antelope in the Kruger National Pa and is found in large herds particular south of the Sabie River. It can leap distance of 10 m and clear a height 3 m. The mating season is April May and a single lamb is born, usual in November or December. An age 9 years was recorded in one specif case.

Springbok

(*Antidorcas marsupialis*)

Springbok

Massa	± 35 kg	Mass
Hoogte	± 75 cm	Height
Draagtyd	5½-6 maande/months	Gestation period
Moontlike lewensduur	10 jaar/years	Potential longevity
Rekordhoringlengte	48 cm	Record length of horns

Kom voor in al die nasionale parke behalwe die Krugerwildtuin en die Tsitsikamapark. 'n Enkele lammetjie word gewoonlik gedurende November gebore.

The Springbok is found in all the National Parks except in the Kruger and Tsitsikama National Parks. A single lamb is born, usually during November.

Gemsbok

(Oryx gazella)

Gemsbok

Massa	± 200 kg	Mass
Hoogte	± 120 cm	Height
Moontlike lewensduur	18-19 jaar/years	Potential longevity
Draagtyd	9 maande/months	Gestation period
Rekordhoringlengte	122 cm	Record length of horns

Bewoner van die dorre, waterlose geweste en is veral baie talryk in die woestynagtige Kalahari-Gemsbok Nasionale Park waar hulle soms vir maande aaneen sonder water kan klaarkom. Kom ook in die Bergkwaggapark voor. 'n Enkele kalf word gebore.

Inhabits the waterless regions of the country, and is particularly numerous in the semi-desert Kalahari Gemsbok National Park. It can survive without water for months on end. Also occurs in the Mountain Zebra National Park. A single calf is born.

Bastergemsbok   (*Hippotragus equinus*)   Roan Antelope

Massa	± 285 kg	Mass
Hoogte	± 150 cm	Height
Draagtyd	9 maande/months	Gestation period
Rekordhoringlengte	99 cm	Record length of horns
Lengte van oor	± 26 cm	Length of ear

Hierdie dier word veral in die noor-delike deel van die Nasionale Kruger-wildtuin aangetref. 'n Enkele kalfie word gebore. Moontlike lewensduur 18 tot 19 jaar.

This animal has its haunts more particularly in the northern part of the Kruger National Park. A single calf is born. Potential longevity 18 to 19 years.

Swartwitpens (*Hippotragus niger*) # Sable Antelop

Massa	± 220 kg	Mass
Hoogte	± 140 cm	Height
Draagtyd	9 maande/months	Gestation period
Moontlike lewensduur	18-19 jaar/years	Potential longevity
Rekordhoringlengte	155 cm	Record length of horns
Lengte van ore	± 20 cm	Length of ears

'n Enkele kalfie word gebore, gewoonlik gedurende Januarie tot Maart. Kom voor in verspreide plekke in die Nasionale Krugerwildtuin.

The lambing season is usually fro January to March and a single calf born. Present in various areas of t Kruger National Park.

Basterhartbees   (*Damaliscus lunatus*)   Tsessebe

Massa	± 160 kg	Mass
Hoogte	± 120 cm	Height
Draagtyd	8-9 maande/months	Gestation period
Moontlike lewensduur	20 jaar/years	Potential longevity
Rekordhoringlengte	48 cm	Record length of horns

Kom voor in die sentrale en noordelike dele van die Nasionale Krugerwildtuin. Hierdie diere maak grotendeels staat op hul ratsheid en spoed. 'n Enkele kalfie word in September of Oktober gebore.

More plentiful in the central and northern sections of the Kruger National Park. This animal relies mainly on its speed and agility. A single calf is born, usually during September or October.

Bontbok

(Damaliscus dorcas dorcas)

Bontebok

Massa	± 90 kg	Mass
Hoogte	± 100 cm	Height
Rekordhoringlengte	43 cm	Record length of horns
Waar gevind		Where found

Bontebokpark/Bontebok Park

Kom slegs in 'n beperkte gebied van die suid-westelike distrikte van Kaapland voor. Die grootste aantal word vandag in die Bontebokpark by Swellendam beskerm. Die wit bles is ononderbroke en die kruis, bene en pens is wit.

The bontebok is found only in specific areas of the South Western Districts or the Cape. The largest herd is found in the Bontebok Park at Swellendam. The white blaze is undivided and the rump, legs and belly are white.

Blesbok

(Damaliscus dorcas phillipsi)

Blesbol

Massa	± 80 kg	Mass
Hoogte	± 95 cm	Height
Rekordhoringlengte	51 cm	Record length of horns
Waar gevind		Where found

Bergkwaggapark/Mountain Zebra Park
Golden Gate Hooglandpark/Golden Gate Highlands Park

'n Hoëveldse antiloop wat ook in die Bergkwaggapark aangetref word. Die wit bles is in twee verdeel en die bene, pens en kruis is ligter van kleur as die res van die liggaam.

A highveld antelope and also found in the Mountain Zebra Park. The white blaze on the forehead is divided into two. The legs, belly and rump are lighter in colour than the rest of the body.

Rooihartbees   (*Alcelaphus buselaphus*)   # Red Hartebees

Rooihartbees		Red Hartebees
Massa	± 160 kg	Mass
Hoogte	± 130 cm	Height
Draagtyd	8 maande/months	Gestation period
Rekordhoringlengte	66 cm	Record length of horns
Snelheid	65 km/h	Speed

Verkies min of meer vlaktewêreld of ylbeboste veld en word in al die nasionale parke behalwe die Krugerwildtuin en Tsitsikamapark aangetref. 'n Enkele kalfie word gebore, gewoonlik vanaf September tot Desember.

Prefers the flat country of the plains or regions with sparse bush, and is present in all the National Parks except the Kruger and Tsitsikama parks. A single calf is born, usually during September to December.

Blouwildebees   *(Connochaetes taurinus)*   Blue Wildebeest

Massa	± 240 kg	Mass
Hoogte	± 135 cm	Height
Draagtyd	$8\frac{1}{2}$ maande/months	Gestation period
Moontlike lewensduur	20 jaar/years	Potential longevity
Rekordhoringwydte	83 cm	Record span of horns

Kom in die Krugerwildtuin en Kalahari-gemsbokpark voor. 'n Enkele kalfie word gebore, gewoonlik tussen Desember en Januarie.

Occurs in the Kruger and Kalaha Gemsbok Parks. A single calf is bor usually between December and Januar

Swartwildebees   (*Connochaetes gnou*)   Black Wildebees

Massa	± 180 kg	Mass
Hoogte	± 120 cm	Height
Draagtyd	8-8½ maande/months	Gestation period
Moontlike lewensduur	20 jaar/years	Potential longevity
Rekordhoringlengte	68 cm	Record length of horns
Waar gevind		Where found

Bergkwaggapark/Mountain Zebra Park
Golden Gate Hooglandpark/Golden Gate Highlands Park

'n Hoëveldse bok wat in die Berg-kwagga- en Golden Gate Hoogland-parke voorkom. 'n Enkele kalfie word gebore.

A highveld antelope which occurs in the Mountain Zebra and Golden Gate Highlands National Parks. A single calf is born.

Bosbok

(Tragelaphus scriptus)

Bushbuck

Massa	± 70 kg	Mass
Hoogte	± 90 cm	Height
Draagtyd	6-7 maande/months	Gestation period
Moontlike lewensduur	9 jaar/years	Potential longevity
Rekordhoringlengte	55 cm	Record length of horns

Alhoewel hulle wydverspreid in die Krugerwildtuin voorkom, word hulle nie dikwels gesien nie aangesien hulle die digte bosse en rietruigtes langs riviere verkies. Hulle kom ook in die Tsitsikama- en Addo-olifantpark voor. 'n Enkele lammetjie word gedurende die lente of somer gebore.

Although widely distributed in the Kruger Park it is rarely seen as it frequents the dense bush and reeds along rivers. They also occur in the Tsitsikama and Addo Elephant Parks. A single lamb is born in spring or summer.

Njala

(*Tragelaphus angasi*)

Nyala

Massa	± 130 kg	Mass
Hoogte	± 105 cm	Height
Draagtyd	6 maande/months	Gestation period
Moontlike lewensduur	8 jaar/years	Potential longevity
Rekordhoringlengte	83 cm	Record length of horns

Die dier se geliefkoosde boerplekke in die Krugerwildtuin is langs die Levubu- en Shingwidziriviere. Besonder talryk in die Pafuri-gebied. 'n Enkele lam word gebore.

Its favourite haunts in the Kruger Park are along the Levubu and Shingwidzi Rivers. Abundant in the Pafuri area. A single calf is born.

Koedoe

(Tragelaphus strepsiceros)

Kudu

Koedoe		Kudu
Massa	± 300 kg	Mass
Hoogte	± 150 cm	Height
Draagtyd	7-8 maande/months	Gestation period
Moontlike lewensduur	11 jaar/years	Potential longevity
Rekordhoringlengte	181 cm	Record length of horns
Waar gevind		Where found

Krugerwildtuin/Kruger Park
Addo-olifantpark/Addo Elephant Park
Kalahari-gemsbokpark/Kalahari Gemsbok Park

Die koedoe is volop in die hele Kruger-wildtuin en word ook aangetref in die Kalahari-gemsbok- en Addo-olifant-parke. Gewoonlik word 'n enkele kalfie vanaf Desember tot Februarie gebore.

The kudu is well represented throughout the Kruger Park and is also present in the Kalahari Gemsbok and Addo Elephant Parks. A single calf is born, usually from December to February.

Eland

(Taurotragus oryx)

Eland

Massa	± 650 kg	Mass
Hoogte	± 170 cm	Height
Rekordhoringlengte	110 cm	Record length of horns
Moontlike lewensduur	12 jaar/years	Potential longevity
Waar gevind		Where found

Alle nasionale parke, behalwe die Tsitsikama
All National Parks, except the Tsitsikama

Normaalweg word die eland in die Krugerwildtuin vanaf Letaba noordwaarts aangetref. Dit kom ook in al die ander nasionale parke voor, behalwe in die Tsitsikama. Sodra 'n vers begin teel, werp sy gereeld elke nege maande 'n enkele kalf.

The usual haunts of the eland are the northern districts of the Kruger Park, i.e. from Letaba northwards. It is also present in all the other National Parks, except the Tsitsikama. As soon as a heifer matures, a single calf is born at regular intervals of nine months.

Buffel

(Syncerus caffer)

African Buffalo

Massa	± 750 kg	Mass
Hoogte	± 160 cm	Height
Snelheid oor 'n kort afstand	55 km/h	Speed over a short distance
Rekordhoringspan	147 cm	Record span of horns
Draagtyd	11 maande/months	Gestation period
Moontlike lewensduur	20-25 jaar/years	Potential longevity
Waar gevind		Where found

Krugerwildtuin/Kruger Park
Addo-olifantpark/Addo Elephant Park
Bontebokpark/Bontebok Park

'n Enkele kalf word gewoonlik vanaf September en later gebore. Die buffel kom in groot dele van die Krugerwildtuin voor maar is veral volop tussen Krokodilbrug en Onder-Sabie, in die sentrale distrik en noord van die Olifantsrivier.

'n Groot trop, verteenwoordigend van die Kaapse variëteit, word in die Addo-olifantpark beskerm.

A single calf is born, usually from September onwards. The buffalo is present in large areas of the Kruger Park and is particularly abundant in the area between Lower Sabie and Crocodile Bridge, in the central area and north of the Olifants River.

A large herd representing the Cape variety is protected in the Addo Elephant Park.

Rooipootjie (Vlakhaas) (*Lepus capensis*)   Cape Hare

| Lengte | ± 70 cm | Length |
| Moontlike lewensduur | 5-6 jaar/years | Potential longevity |

Kom in die Krugerwildtuin voor, maar sal waarskynlik in al die ander nasionale parke aanwesig wees. Hulle woon nie in gate nie, maar kan daarin skuil. Gewoonlik word twee kleintjies per keer gebore.

Occurs in the Kruger Park but may also be present in the other National Parks. It does not live in burrows but may shelter there. Usually two young are born.

Natalse Rooihaas *(Pronolagus crassicaudatus)*   Natal Red Har

Lengte	± 60 cm	Length
Draagtyd	1 maand/month	Gestation period

Kom in die Krugerwildtuin voor. Bewoon kranse en rotsagtige berghange. Een of 2 kleintjies word gebore.

Found in the Kruger Park. Frequen krantzes and rocky mountain slope One or two young are born.

Kolhaas

(Lepus europaeus)

Scrub Hare

Lengte ± 60 cm Length

Kom in die Krugerwildtuin en die Kalahari-gemsbokpark voor. Gewoonlik word 2 tot 3 kleintjies gebore. Moontlike lewensduur 7½ jaar.

Found in the Kruger and the Kalahari Gemsbok Parks. Usually 2 to 3 young are born. Potential longevity 7½ years.

Ystervark

(Hystrix africae-australis)

Cape Porcupine

Moontlike lewensduur	20 jaar/years	Potential longevity
Draagtyd	6-7 weke/weeks	Gestation period
Waar gevind		Where found

Krugerwildtuin/Kruger Park
Bergkwaggapark/Mountain Zebra Park
Kalahari-gemsbokpark/Kalahari Gemsbok Park

Een tot 4 kleintjies word gebore. Is nagtelik in leefwyse en kom voor in die Krugerwildtuin, die Bergkwaggapark en Kalahari-gemsbokpark. Rug en agterlyf is bedek met harde, skerppuntige penne en die res van die liggaam met lang, stywe borselhare.

One to 4 young are born. It is nocturnal in habit and occurs in the Kruger, Mountain Zebra and Kalahari Gemsbok Parks. The back and hindquarters are covered with hard, sharp-pointed quills, and the rest of the body with long stiff bristles.

Geelpooteekhorinkie *(Paraxerus cepapi)*

Bush Squirre

Lengte	± 40 cm	Length
Moontlike lewensduur	15 jaar/years	Potential longevity

'n Boomdiertjie wat van insekte, aal-wynblare, blaarknoppies, vrugte, sade en bessies leef. Van 2 tot 4 kleintjies word in 'n hol boomstam gebore.

An arboreal animal, whose diet is insects, leafbuds, aloe leaves, fruit, seeds and berries. Usually 2 to 4 young are born in hollow tree trunks.

Waaierstertmeerkat   (*Xerus inauris*)   Ground Squirre

Lengte	± 45 cm	Length
Moontlike lewensduur	15 jaar/years	Potential longevity
Waar gevind		Where found

Kalahari-gemsbokpark/Kalahari Gemsbok Park
Bergkwaggapark/Mountain Zebra Park

'n Dier wat in droë streke soos die Kalahari-gemsbokpark en Bergkwaggapark in gate woon. Hulle vreet plante en sade en graaf wortels en bolle uit. Een of 2 kleintjies word gebore.

A small animal which inhabits the drie areas like the Kalahari Gemsbok Par and Mountain Zebra Park. Lives i burrows. Feeds on plants and seeds an digs up roots and bulbs. One or young are born.

Springhaas

(Pedetes capensis)

Spring Hare

Massa	± 4 kg	Mass
Lengte	± 80 cm	Length
Moontlike lewensduur	7½ jaar/years	Potential longevity
Waar gevind		Where found

Krugerwildtuin/Kruger Park
Bergkwaggapark/Mountain Zebra Park
Addo-olifantpark/Addo Elephant Park
Kalahari-gemsbokpark/Kalahari Gemsbok Park

Kom in die Krugerwildtuin, Berg-kwagga-, Kalahari-gemsbok- en die Addo-olifantparke voor. Is 'n nagdier-tjie en bly bedags in gate. Van 3 tot 4 kleintjies word gebore.

Present in the Kruger, Mountain Zebra, Kalahari Gemsbok and Addo Elephant Parks. This is a nocturnal animal which hides in a burrow during the daytime. From 3 to 4 young are born.

Seesoogdiere

Ons tref vandag vier groepe soogdiere in die see en aan ons kuste aan. Eintlik was hulle oorspronklik landwerweldiere maar omdat die see 'n gunstiger omgewing gebied het, het hulle voorouers daarheen gemigreer. Die groepe is soos volg:

1. **See-otters:** Hulle is kleiner as die otters wat hulle tuiste naby varswaterstrome het. Hulle voorpote is geweb maar nie die agterpote nie. Hulle kom nie aan ons kuste voor nie, maar dit is tog interessant dat ons eie land se otters, veral in die Oostelike Provinsie ook vrylik in die see aangetref word.

2. **Sirenias:** Hierdie groep word verteenwoordig deur die dugong van die Indiese Oseaan en die manatee wat in die tropiese seë van Afrika en Amerika gevind word. Hulle voorste ledemate is omvorm tot vinpote en die agterste ledemate het verdwyn. Hulle leef op seegras en kom selde uit die water uit omdat hulle byna hulpeloos op land is. Hulle verteenwoordig die gewaande meerminne omdat hulle die gewoonte het om regop uit die water te kom.

3. **Robbe:** Wat in drie onderafdelings verdeel word:

(a) *Seeleeus en Pelsrobbe:* Hulle word gekenmerk deur die besit van uitwendige oorskulpe en dat al vier ledemate tot vinpote omvorm is. Bulle vergader harems van tot 20 koeie om hulle.

Marine Mammals

Four groups of mammals are found in our modern seas and on our coasts Originally all land animals, their ancestors migrated to the sea because i presented a more favourable environment. The groups are the following:

1. **Sea Otter:** They are smaller than those on land which have their homes near fresh-water streams. The fore-feet, unlike the hind-feet, are webbed. They are not found along our coasts, but it is very interesting to note that our own otters, especially in the Eastern Cape Province, freely enter the sea to feed.

2. **Sea Cows:** This group is represented by the Dugong of the Indian Ocean and the Manatee found in the tropical seas of Africa and America. Their fore-limbs are modified to flippers and the hind-limbs have disappeared completely. They feed on seaweed and seldom leave the water as they are helpless on dry land. Because of their habit of surfacing in an upright position, they form the source of the stories about the mythical mermaids.

3. **Seals:** This group is sub-divided into three sub-groups.

(a) *Eared Seals:* Represented by Sea Lions and Fur Seals. They are characterised by having external ear lobes and by the modification of all four limbs to flippers. Bulls gather harems of up to 20 cows around them.

Seeleeu   (*Arctocephalus pusillus*)   Sea Lion

(b) *Egte robbe:* Hulle voorste ledemate is omvorm tot vinpote, maar die agterstes is met die stert versmelt. Onder hulle word die see-olifant getel wat in California en die Antarktika voorkom.

(c) *Walrusse:* Hulle kom vandag nog net in Groenland en die Arktika voor en is groot logge diere met 'n liggaamsmassa van tot 1500 kg.

4. **Walvisse:** Hulle is nie almal groot diere nie; hulle varieer van 'n 120 cm lange dolfyn tot die reuse blouwalvis waarvan die rekordlengte as 3460 cm vir 'n koei aangegee word. Hier is die voorste ledemate tot stabiliserende vinpote omvorm en die agterstes het verdwyn. Die stert is horisontaal verbreed en dien as swemorgaan. Die neusgate het verskuif tot bo-op die kop en staan bekend as blaasgate. As die walvis wegduik word die lug in die longe baie verhit en as dit dan uitgeblaas word vorm dit stoom in die koue lug bokant die seevlak en gee oorsprong aan die bekende ,,blaas" van die walvisse. Die potvis kan tot 40 minute onder die oppervlakte bly en die lug uit sy longe is dus baie warm. 'n Dik laag spek onder die vel beskerm die dier van verlies aan liggaamshitte maar hulle verkies om 6 maande van die jaar in die poolseë en die res in warmer gebiede te vertoef. Koeie kalf gewoonlik in warmer water omdat die kalwers nie by geboorte 'n goedontwikkelde speklaag het nie. 'n Enkele kalf word al om die ander jaar gebore.

(b) *True Seals:* Their fore-limbs are modified to flippers, but the hind limbs have atrophied and are fused to the tail. The Sea Elephant is a member of this sub-group, but it does not occur along our coasts. It is found in the Antartic and along the Californian coast.

(c) *Walruses:* They only occur in Greenland and the Arctic today and are large, cumbersome animals with a body mass of up to 1500 kg.

4. **Whales:** Not all whales are large animals. They vary from the Dolphin of roughly 120 cm in length up to the enormous Blue Whale, of which the record length of 3460 cm for a cow has been recorded.

The fore-limbs have been modified to stabilising fins and the hind-limbs have disappeared. The tail is flattened horizontally and serves to propel it through the water. The nostrils have moved up to the top of the head and now serve as blowholes. While the whale is submerged the air in its lungs is heated and when this is expelled it condenses in the cool layer of air immediately above the surface of the water, giving rise to the well-known "blow" of the whale. The Sperm Whale can remain submerged for roughly 40 minutes and the air in its lungs can thus be very warm.

A thick layer of blubber under the skin prevents the loss of body heat, but whales prefer to spend 6 months a

Dolfyne

		Dolphins
1. Euphrosyne dolfyn	(*Stenella styx*)	Euphrosyne Dolphin
2. Gewone dolfyn	(*Delphinus delphis*)	Common Dolphin
3. Bultrug dolfyn	(*Sousa plumbea*)	Humpback Dolphin
4. Tuimelaar dolfyn	(*Tursiops aduncus*)	Bottle-nose Dolphin
5. Loodswalvis	(*Globicephala melaena*)	Pilot Whale

Walvisse

Whale

6. Bultrugwalvis	Humpback Whale

(*Megaptera novaeangliae*)

Gemiddelde lengte – 1500 cm	Average length – 1500 cm
7. Suidelike Regtewalvis	Black Right Whale

(*Eubalaena glacialis*)

Gemiddelde lengte – 1800 cm	Average length – 1800 cm
8. Potvis	Sperm Whale

(*Physeter catodon*)

Gemiddelde lengte – 1800 cm	Average length – 1800 cm
9. Gewone Rorkwal Vinwalvis	Common Rorqualor Fin Whale

(*Balaenoptera physalus*)

Gemiddelde lengte – 2400 cm	Average length – 2400 cm

'n Blouwalviskalf kan tot 700 cm lank by geboorte wees met 'n liggaamsmassa van tot 20 000 kg, maar die gemiddelde massa is ongeveer 9000 kg en die lengte ongeveer 300 cm. So 'n kalfie kan maklik 1000 kg (ongeveer 1000 liter) melk per dag van sy moeder kry en hy word onder die water gesoog.

Walvisse word in twee subordes verdeel, nl. die Baard- of Baleinwalvisse (*Mysticeti*) en die Tandwalvisse (*Odontoceti*).

Eersgenoemde suborde word op sy beurt in twee families verdeel nl. die vinwalvisse wat die rorkwalle, blouwalvis en bultrugwalvis insluit, en die sogenaamde „regte" (of egte) walvisse, so genoem deur die ou walvisjagters omdat hulle in teenstelling met die ander bo dryf en nie sink as hulle dood is nie. In hierdie tweede familie kry ons bv. die Groenlandse, Suidelike en Dwergwalvis.

Hierdie suborde word gekenmerk deur baleinplate wat van die bo-kaak afhang en wat dien om plankton en klein diertjies wat in die water vry rondswerm vas te vang en terug te hou as die walvis sy bek toemaak. Sulke kosdeeltjies word dan met die tong afgelek en gesluk. Die tweede suborde word gekenmerk deur die aanwesigheid van tande. By

year in the warmer oceans and the other six at the Poles. Cows calve in the warmer seas because at birth the calf has a poorly developed blubber layer. A single calf is born every alternate year. A Blue Whale calf at birth may measure 700 cm in length with a body mass of up to 20 000 kg, but the average mass is about 9000 kg and the length roughly 300 cm. The calf is suckled under the water and can get up to 1000 kg (approximately 1000 litre) of milk a day from its mother.

Whales are divided into two sub-orders, viz. the Baleen Whales (*Mysticeti*) and the Toothed Whales (*Odontoceti*).

The Baleen Whales are subdivided into two families, viz. the Fin Whales, which include the Rorquals, Blue Whales and Humpbacked Whales, and the so-called "right" whales, so called because it floats when killed in contrast with the "wrong" whales which sink when dead. In this second family we have the Greenland, Southern and Pigmy Right Whales. This suborder is characterised by having baleen or whalebone in their mouths which act as strainers to retain plankton and free swimming animalcules when the whale closes its mouth. Such food particles are then removed with its tongue and swallowed.

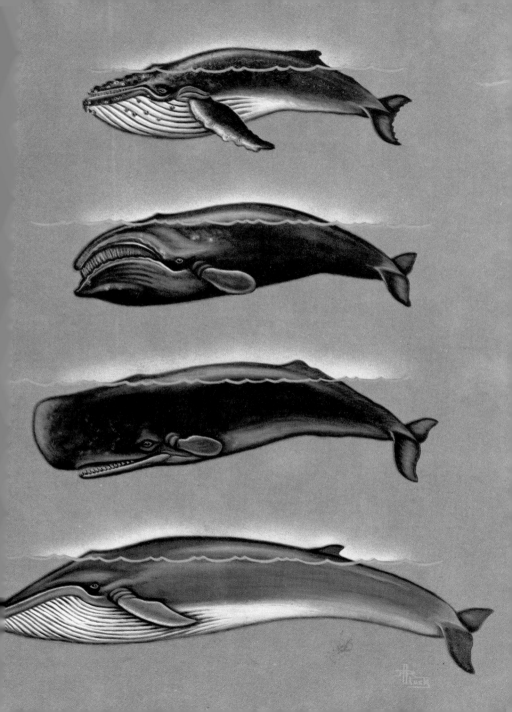

Walvisse

die potvis is daar slegs tande in die onderkaak en hulle pas in holtes in 'n verharde plaat wat die bokaak beskerm. By die róofwalvis is daar tande in albei kake maar by die snawelwalvisse en dolfyne vind ons dat hulle wel tande in die jeugdige stadium mag hê, maar soos hulle ouer word ontwikkel daar stewige snawels oor die kake en daar word hoogstens een of twee paar tande behou. Die potvis is die bron van 'n baie belangrike olie genaamd spermaticeti, wat by gewone temperatuur stol en vir fyn preparate gebruik word. In die dier self speel dit die buitengewone rol nl. dat dit die dier in staat stel om baie diep te kan duik. Dit los die stikstof in die lug wat voor die duik ingeasem word op en verhoed sodoende dat dit onder die hoë druk in die bloed oplos. Wanneer die dier dus op die oppervlakte verskyn, „kook" die bloed nie soos by ander diere om die verskriklike krampe te veroorsaak nie.

Die potvis leef hoofsaaklik op seekatte en inkvisse en omdat die monddele van die prooidiere nie verteer nie, vorm dit bondels sogenaamde ambergrys. Hierdie ambergrys is erg onwelriekend, maar is 'n buitengewone goeie basis om vlugtige reukolies te bind en is daarom baie gesog en behaal baie hoë pryse. Soms word so 'n bondel deur die walvis opgebring om dan later uit te spoel, maar gewoonlik word dit uit die walvis verwyder as dit verwerk word.

Die loodswalvis wat hier afgeteken is, kry weer sy naam van die gewoonte om skepe te vergesel, soms in skole. Skoolvorming is tipies van alle walvissoorte maar dit is niks ongewoons om alleen-swemmendes aan te tref nie.

Whale

The second suborder is characterise by teeth in the jaws. The Sperm Whal has teeth in the lower jaw only and thes fit into cavities in the hardened plate protecting the upper jaw. The Kille Whale has teeth in both jaws, but in the Beaked Whales and the Dolphins, teeth are present in the juvenile, but as the animal becomes older the jaws become encased in hardened beaks and only one or two pairs of teeth may be retained The Sperm Whale is the only source of a very important oil called spermaticeti which sets at ordinary temperatures and is used in special preparations. In the animal itself this substance plays an exceptional rôle in that it enables the animal to dive to great depths. The nitrogen in the inhaled air is dissolved in the spermaticeti and in this way prevents it from becoming dissolved in the bloodstream. When the animal surfaces, the blood does not "boil" as in other animals and in this way the terrible cramps or "bends" are avoided.

The Sperm Whale feeds chiefly on octopi and squids. The indigestible beaks of these prey animals ball together into the so-called ambergris. This substance, although foul-smelling in itself, is the best medium for binding perfumes. On occasion the ambergris is regurgitated to be washed ashore, but usually it is removed when the whale is slaughtered.

The Pilot Whale illustrated here is so named because of its habit of accompanying ships, sometimes in numbers. Whales are inclined to travel in sociable pods, but it is not exceptional to find one on its own.

NASIONALE PARKERAAD
(Kontant met bestelling)

'lefoon: 44-1171

Posbus 787
PRETORIA
0001

PUBLIKASIES

Prys – Pos en
Verpakking

EWIERE VAN DIE TSITSIKAMA NASIONALE PARK
Dr S C Seagrief)
— 64 soorte word beskryf — in volkleur

Sagte band	1,00 +,15c
Harde band	1,50 + ,25c
Luukse band	2,00 + 25c

ISSE VAN DIE TSITSIKAMA NASIONALE PARK
Prof J L B Smith)
— 189 soorte visse word beskryf. Kom orals langs die Kaapse suid- en suid-ooskus voor. Sommige in ander lande ook.
In volkleur geïllustreer

Sagte band   1,00 + ,15c

OOGDIERE VAN DIE KRUGERWILDTUIN EN ANDER NASIONALE PARKE
— 77 van die vernaamste soogdiere in kleur geïllustreer met 'n kort beskrywing van elkeen.

Sagte band	1,80 + ,15c
Harde band	2,08 + ,15c

KOEDOE
— 'n Tydskrif vir wetenskaplike navorsing in die Nasionale Parke.

Beskikbaar: Nrs. 13 tot 20 (elk)	2,10 + ,25c
Nr. 21	5,00 + ,25c

KOEDOE 1977 BYLAAG
— Die stand van Natuurbewaring in Suidelike Afrika   5,00 + ,25c

DIE TSITSIKAMAKUS
'R M Teitz & Dr G A Robinson) (elk)   1,56 + ,15c

VOËLS VAN DIE KRUGERWILDTUIN EN ANDER NASIONALE PARKE

— Dele I–IV (per deel)	0,78 + ,12c
of 4 dele	3,12 + ,12c

GIDSKAART VAN DIE KRUGERWILDTUIN   0,30 + ,10c

POSKAARTE   0,05c

SKRYFBLOKKE MET DIERETEKENINGE

— Wit met koeverte	0,57 + ,12c
— Blou, Pienk, Groen en Geel met koeverte	0,62 + ,12c

FOTO'S VAN DIERE
— In swart/Wit — mag bestel word   0,45 — 3,50 + ,20c

PADDAS VAN DIE NASIONALE KRUGERWILDTUIN
(Pienaar, Passmore & Carruthers)

Sagte band   2,60 + ,15c

DIE EERSTE EUROPEANE IN DIE NASIONALE KRUGERWILDTUIN
(Dr W H J Punt)

Sagte band   1,97 + ,15c

CUSTOS

— Maandblad (verskeie agterstallige kopieë) beskikbaar van Des. 1971–Des. 1974 (elk)	,20c
— Vanaf Jan. 1975 (elk)	,30c
Intekengeld: Suid-Afrika	4,00
Ander lande	6,00

CUSTOS
— Gebonde volumes — Nrs. 5, 6, 7 & 8 (elk)   6,76 + ,35c

PLAKKATE
— Stewige glanspapier en afmetings is 58,5 cm × 46 cm — Uil, Kameelperd, Leeu, Jagluiperd, Olifant en Zebra (elk)   1,75

'n GIDS TOT DIE TSITSIKAMABOS NASIONALE PARK
(Dr G A Robinson)   0,31 + ,10c

THE DISTRIBUTION AND STATUS OF BIRDS OF THE KRUGER NATIONAL PARK
(slegs in Engels) (A C Kemp)   2,90 + ,1

DIE ADDO OLIFANTE   0,65 + ,1

THE REPTILE FAUNA OF THE KRUGER NATIONAL PARK
(U de V Pienaar) (Slegs in Engels)
                      Sagte band   5,90 + ,2
                      Harde band   6,90 + ,2

BUTTERFLIES OF THE KRUGER NATIONAL PARK
(Johan Kloppers & Dr G van Son) (Slegs in Engels)
                      Sagte band   3,75 + ,1.
                      Harde band   4,75 + ,1!

FRESH WATER FISHES OF THE KRUGER NATIONAL PARK (Slegs in Engels)
                      Sagte band   4,20 + ,1!
                      Harde band   5,20 + ,15

KAROO NASIONALE PARK   3,60 + ,1!

KRUGER PARK SAGA
(Piet Meiring)   5,00 + ,25

INKLEURBOEK - DIEREPRENTE VIR KINDERS   0,50 + ,12

CUSTOS INDEKS Vol 1–7 (1971–1978)   1,50 + ,10

NATIONAL PARKS BOARD
(Cash with order)

Tel: 44-1171   P O Box 787
                                                                 PRETORIA
                                                                 0001

PUBLICATIONS

                                                                 Price – Postage
                                                                 and Packing

THE SEAWEEDS OF THE TSITSIKAMA COASTAL NATIONAL PARK
(Dr S C Seagrief)
— 64 types are illustrated in full colour.
                      Soft cover   1,00 + ,15c
                      Hard cover   1,50 + ,15c
                      Deluxe cover   2,00 + ,25c

FISHES OF THE TSITSIKAMA COASTAL NATIONAL PARK
(Prof J L B Smith)
— 189 species are described. Occur along the Southern Cape and South-eastern coastlines. Some also occur
along the coastline of other countries.. Illustrated in full colour.
                      Soft cover   1,00 + ,15c

MAMMALS OF THE KRUGER AND OTHER NATIONAL PARKS
— 77 of the most important Mammals illustrated in full colour with a short description of each.
                      Soft cover   1,80 + ,15c
                      Hard cover   2,08 + ,15c

KOEDOE
— Available: No's 13 to 20.
Research Journal for National Parks in the Republic of South Africa (each)   2,10 + ,25c

KOEDOE 1977 SUPPLEMENT
— The state of nature conservation in Southern Africa   5,00 + ,25c
KOEDOE No. 21   5,00 + ,25c

THE TSITSIKAMA-SHORE
(R M Teitz & Dr G A Robinson)   1,56 + ,15c

BIRDS OF THE KRUGER NATIONAL PARK AND OTHER PARKS
— Volume I–IV (per volume)   ,78 + ,12c
4 volumes   3,12 + ,25c

MAP OF THE KRUGER NATIONAL PARK   ,30 + ,10c